KB075667

내가 너의 손을 잡아줄게

선다온 지음

내가 너의 손을 잡아 줄게

발 행 | 2024년 1월 4일
저 자 | 선다온
펴낸이 | 한건희
펴낸곳 | 주식회사 부크크
출판사등록 | 2014.07.15.(제2014-16호)
주 소 | 서울특별시 금천구 가산디지털1로 119 SK트윈타워 A동 305호
전 화 | 1670-8316
이메일 | info@bookk.co.kr

ISBN | 979-11-410-6445-7

www.bookk.co.kr

내가 너의 손을 잡아 줄게

선다온 지음

CONTENT

머리말

누가 당신에게 도움을 주겠다며 손을 내밀면, 그게 누구든 무조건 잡으세요. 지금 도움이 안되는 사람이더라도 나중엔 꼭 필요한 사람이 될 것입니다.

저도 그 손을 항상 뿌리치던 때가 있었는데, 크게 후회해요.
지금은 도움이 안되는 사람이더라도 나중엔 꼭 필요한 사람이
될 것이라는 저의 말처럼, 진짜 필요한 사람이 되있더라구요,
왜 손을 뿌리쳤을까 땅 치며 후회하고 있다가 결국은 내가 먼저 다가가서 다시 관계를 회복할 수 있었어요.

이 책의 이름처럼, 누군가가 당신의 손을 잡아 주겠다고 한다면, 놓치지 말고 꼭 잡으시길 바랍니다. 꼭 잡으세요.

난 오늘도 당신의 곁에 있을게요,
난 내일도 당신의 곁에 있을게요.

언제나 당신 곁에 있을
선다온 드림

제1장 이 세상을 사랑하자

이 세상을 사랑하자

이 세상을 사랑하자
무슨 일이 생긴대도 이 세상을 사랑하자

슬픈 일이 있어도
기쁜 일이 있어도
화나는 일이 있어도
속상한 일이 있어도

이 세상을 사랑하자.
그것이 우리가 사는 이 세상에 대한 예의다.

우리가 이렇게 살 수 있는 건
이 세상이 존재하기 때문이고,
이 세상이 소중하기 때문이다.

이 세상을 사랑하자

잔소리

이것 좀 잘해라
저거는 왜 안 하냐
노력이란 것을 좀 해 봐라

매일 듣는 잔소리가 지겨워
음악으로 귀를 막으면

그 음악 사이로도 들리는 듯
잔소리가 환청이 되어서 들립니다.

나에게 잔소리를 퍼붓는 당신.
내가 뭘 하든 신경 쓰지 말고
세상 가는 대로 각자 알아서 살면 좋겠습니다.

물거품

내가 노력한 이 순간들이 물거품이 되곤 합니다.
노력한 이 순간들이 물거품이 되는 순간에
나는 이 세상이 무너지는 듯 합니다.

난 이 세상에 쓸모없는 사람일까요,
아님 난 이 세상에 가장 무능한 사람일까요.

내 노력이 물거품이 되는 순간 나는 생각합니다.
아, 나는 무능하고 쓸모없는 사람인가보오.

내 노력이 물거품이 되지 않게
난 노력을 다합니다.

오늘도 내가 무능한 사람이 아니길,
오늘도 내가 쓸모없는 사람이 아니길.

그러지 마세요

애써 웃음으로 넘어가려고 하지 마세요

모두가 진지한 이 시간에 웃고 떠들지 마세요

남에게 피해 주지 마세요

제발 상대방을 생각해 주세요

그리워

안녕으로 시작하고 안녕으로 끝난 우리,

다시는 너와 함께 할 수 없을까
다시는 너와 만날 수 없을까

너가 너무 그리워서
잠이 오질 않고
너가 너무 그리워서
아무것도 잡히지 않아

너가 너무 그리워

.(마침표)

마침표.
문장을 끝맺을 때 쓰는 문장의 부호라고 칭하며,
마침표의 할 일은 문장의 뒤를 끝내주는 것이다.

내가 문장을 쓰다가 끝맺고 싶을 때 사용하는 것이
마침표라고 하는 것이다.

인생과는 다르다.
내가 인생을 끝내고 싶다고 끝낼 수 있는 것이 아니다.
인생을 끝내고 싶은 생각보다는, 인생을 하루라도 더 즐겁게
살아보려고 생각하는 게 더 좋지 않겠나.

아무리 힘들어도, 인생의 마침표는 찍지 말자 우리.

후회

후회합니다
당신을 놓친 것을,

후회합니다
당신에게 더 잘해주지 못한 것을,

후회합니다
당신의 마음을 몰라준 것을,

후회합니다
당신의 가치를 몰라준 것을,

후회합니다
당신과 함께 사랑을 못 해본 것을,

나는 후회합니다.
나는 그저 과거에 목매는 사람입니다.

일기장

오늘 하루 일과를 일기장에 한 자, 한 자 적어 본다.

그 일기장 문장들 속에
많은 감정들이 공존하게 된다.

때론 눈물로 저수지를 만들어도 될만큼 슬프고,
때론 우주끝까지 날아갈 정도로 기쁘고,
때론 화로를 만들어도 될 정도까지 화가 난다.

강박증 있는 사람처럼 하루는 아주 완벽해야할 날이 있고,
흐물흐물 액체 괴물처럼 의욕이 바닥인 날이 있듯이

항상 일기장 속에 기쁨과 행복만 있을 수는 없다.
내가 하루를 어떻게 잘 보내었는가에 달려있다.
하루를 살더라도 강박증 있는 사람보다는 자유롭고,
액체 괴물보다는 의욕이 넘치는 사람이 되어 살아보자.

잠

밤이 된 후 몰려오는 잠
너무 졸려 침대에 누우면, 내가 해야 할 일이 떠올라
다시 일어나 책상에 앉게 된다.

책상에 앉았을 때, 해야 할 일이 막상 또 떠오르지 않아서
다시 침대에 누웠을 때
내가 다음날 무엇을 해야 하는지,
해야 할 일을 또 빼먹은건 아닌지,
다시 떠오른다.

침대에 누웠다가 책상에 앉았다가를
반복하고 나니 시간은 자정을 넘어간다.

결국은 자정이 넘은 후에야 잠이 든다.
이런 걱정과 긴장감을 좀 놓고 마음 편히 자고 싶다.

인생

누구나 각자 다른 인생을 살고 있다

그 인생은 다시는 돌아오질 않을
단 한 번의 기회일지도 모른다.

그래서 내가 너에게 하고 싶은 말은,
그 인생을 너무 막 살지 않았으면 좋겠다.

가끔 넌 말하길,
망한 인생, 죽고 싶은 인생이라며
넌 인생을 살기 싫어하더라

인생은 사람에게 주어진 가장 소중한 것이니
너무 자책 하거나 슬퍼하지는 말고
슬픈 일이 있더라도 그저 그런대로 열심히 살아가길 바란다.

행복

나에게 행복이란
그저 웃을 수 있는 감정인 것 같다

나는 사실
행복이란 뜻을 아직은 잘 이해하지 못하겠다.
왜 방긋 웃는다는 것을 행복하다고 표현을 할까

누가 나에게
"당신은 행복하십니까"라고 물었을 때
마음 속으로 내가 나에게 행복한지를 물어본다.

<u>당신은 행복하십니까?</u>

당신은 부디 나보다 행복하길 바랍니다.

아름다워

넌 아름다워

꽃보다 아름답고,
풍경보다 아름답고,
아이돌보다 아름답고,
배우보다 아름답고,

넌 이 세상 무엇보다도 아름다워

그렇기에
넌 이 세상을 자유롭게 누려도 좋고
사람들 사이의 존재하는 틀에 맞춰 살 필요도 없어

넌 항상 아름다우니, 그 자체로도 아름다우니.

상상력

아인슈타인은 이렇게 말했다

있는 그대로의 사실을 배운다는 것은
썩 중요하지 않다고.

그렇다면 넌 학교 갈 필요가 없다
책으로 배우는 것도 충분히 가능하기 때문에.

이처럼 우리가 일을 해내고,
생활 속에서 살아가는데 중요한 것은
나 자신에게, 또는 타인, 사물에 대한 상상력을 펼치고
그 상상력을 키워보는 것이다.

괜찮다 상상력이 풍부해도,
상상력이 풍부하다고 누가 뭐라할 사람도 없다
그러기에 넌 상상력을 키워도 좋다.
상상력을 키워보기 바란다.

방

방 안의 나
방 안의 너

넌 방 안에서 뭘 하고 있니
넌 방 안에서 뭘 생각하고 있니

방에만 들어오면 생각이 나는 너

너가 무엇을 하는지, 너가 무슨 생각을 하는지
너가 누굴 이야기 하는지, 너가 누구에게 관심이 있는지

난 너에 대해 알고 싶어

짝사랑

봄이 시작되면 누군가는 시작하는 사랑.
그건 바로 짝사랑.

짝사랑의 정의,
한쪽만 상대편을 사랑하는 것.

짝사랑
어쩌면 상대편이 내가 사랑한다는 것을
알수도, 모를 수도 있는 사랑

긴박함이 있는 이 세상 속
너를 사랑하는 나,
너를 짝사랑하는 나.

“나 너 좋아해”라고 말해보고 싶지만
차일까 두려운 사랑.

고백과 동시에 끝나게 될 것 같은 그런 사랑.

음악 같은 삶

음악 같은 삶이란

발라드 장르처럼 때론 슬플 때도 있고
댄스 장르처럼 신나고 발랄할 때가 있고
클래식 장르처럼 아름답다가
인디 장르처럼 내가 만들어 내는 삶 같다.

나의 삶은
댄스 장르와 클래식 장르가 많았으면 좋겠다.

슬프거나 화나지 않고 그저
신나고 발랄하며, 아름다운 삶을 살고 싶다

하지만 누구나 원하는 대로 살지 못한다.
나도 그렇다.

하루는 발라드의 날이 되어 있고,
또 하루는 클래식의 날이 되어 있다.

내가 원하는 대로 살아가지 못해도 괜찮다.
난 하루하루 음악 같은 삶을 살고 있으니.

봄의 설렘

모든 설렘의 시작은 봄이다.

설레는 새학기도 봄부터,
설레는 새로운 사랑도 봄부터,

그러나 봄의 설렘은
그저 오래가지 않는다고 한다.

너가 느끼는 봄의 설렘은 부디
오랫동안 지속되어 설렘이 끊이지 않았으면 좋겠다.

봄

새로운 해가 시작되면
찾아 오는 봄,

봄이 되면 또 찾아오는
새학기, 새로운 친구들, 새로운 감정

이 따스한 계절인 봄은
내 마음속 문을 두드린다

어느새 내 마음 속은
추위는 사라지고, 새로운 새싹과 꽃이 피어나듯이
겨울은 지고 봄이 활짝 피었다.

내가 널 응원 할게

실패는 성공의 어머니.

두려움에 뒷걸음치지 말고
당당히 가슴 내밀며
앞으로 걷자
오늘의 너도, 내일의 너도
언제나 응원해

두려움을 이겨내는 자가 승리한다.
두려움이 다가와도 이겨내고 더더욱 강해지는 자가 이긴다.

매일매일 힘내면서 살아보자 우리

너가 최고야

남들보다 못해도
너는 비교할, 당할 대상이 아니다.

넌 누구에게나 존중받고, 사랑받고,
비교 안받을 자격이 있는 사람이다.

기분이 태도가 되지 말자

기분이 태도가 되어
친구를 막 대하거나 소외시키지 마세요.
아무도 소외 당하는거 좋아하지 않아요

당신도,
나도,
친구도,

모두 같은 사람이니,
감정도 있고 느끼는 생각도 있으니,

소외시키지도
막 대하지도 마세요

양심고백

나는 오늘 양심고백을 합니다
내가 지금까지 감추어 오고 있던 모든 일들을.

친구들에게 나의 거짓들을 고백하고,
가족들에게 나의 거짓을 고백합니다.

이모저모 이야기를 하다 보면,
모두의 눈빛은
얼음장처럼 차가워지기도 하고
햇빛처럼 따뜻하기도 합니다.

나는 오늘 양심고백을 했습니다
내가 지금까지 감추어 오고 있던 모든 일들을

내 몇몇의 친구들은 내 거짓 때문에 곁을 떠나게 되고
또 몇몇의 친구들은 내 거짓을 이해해 주려고 합니다.

나는 양심고백을 했다고 해서
절대 후회를 하지 않습니다.

내가 양심고백을 한 것은,
살아가는 현실 속 한 번쯤은 꼭 해야 한다고 생각합니다.

하지 마세요

남에게 피해 주지 마세요
남에게 뒷담 하지 마세요
남에게 욕설하지 마세요
남에게 비난하지 마세요

하지 말라면 좀 하지 마세요

이상형

웃어른께 예의 바른 사람

꿈이 많은 사람

감정 표현이 어색하지 않은 사람

밖에서는 조용한데 내 앞에서는 말 많은 사람

자기관리 하는 사람

맨날 같은 옷 입어도 새로운 사람

별거 아닌 말도 기억하는 사람

다정한 사람

연락에 크게 집착하지 않는 사람

친구

친구를 물건 쓰듯이 다루지 마세요

친구는 당신과 같은 사람이자
이용당하는 물건이 아닙니다.

되고 싶은 사람

1. 웃는 게 예쁜 사람
2. 안 보면 서운한 사람
3. 상처 주고 싶지 않은 사람
4. 사랑스러운 사람
5. 없어선 안 될 사람
6. 같이 수다 떨고 싶은 사람

아름다운 악기 소리

나는 정말 어릴 때부터 노래를 좋아했었다. 그래서 그랬던 건지 춤추는 것도, 노래 부르는 것도 되게 좋아했다. 초등학교 입학 후에는 여러 악기를 배워보며 노래를 한층 더 좋아하게 되었다. 나는 모든 악기에도 관심이 많고 모든 악기를 다 사랑한다.

그 중에서도 첼로와 피아노, 클라리넷을 정말 좋아한다.

웅장하고 세련된 소리를 가진 첼로, 다양한 소리를 가진 피아노, 몽글몽글 분위기가 있는 클라리넷.

내가 좋아하는 이유라고 할 수 있다.

첼로의 울림 아래로 내 마음은 흘러간다
달콤한 소리에 푹 빠진 첼로의 그림자
천천히 흘러가는 시간 속 첼로의 노래에 실려
첼로의 은은한 소리에 푹 빠져들어
하나 둘 쌓여가는 감정을 표현하고파
멜로디가 마음으로 말하는, 첼로의 선율

피아노의 향기로운 소리 그 소리로 행복을 느끼게 한다.
하나의 멜로디로 세상을 감동시키고,
손가락 아래로 흘러가는 피아노의 소리 깊은 울림과 함께
내 마음에 초롱이 바닥처럼 균등하게 퍼지는 감동의 순간들.

클라리넷의 은은한 소리에 심장이 조금 어지러워.
그 소리는 나를 온전히 감싸 안아준다.
클라리넷의 음악이 나를 편안하게 만들어 주는구나,
클라리넷을 손에 들고 은은한 음악을 연주하는 연주자의 소리는,
마치 숲속에서 나는 새들의 노랫소리에 감동한다.
클라리넷은 영롱한 소리로 나의 마음을 감싸준다.

모두가 사랑하는 사계절

없어선 안 될 사계절 ,,

봄바람에 춤추는 꽃들, 온 세상을 따뜻하게 비춰주는 너

봄이여, 저 하늘을 환하게 빛내줘

봄날의 따뜻한 숨결로 꽃들은 봄을 맞이하고

봄이 오면 모든 게 새로워진다.

봄의 내음 품은 사랑은 꽃들이 피어나는 기적이 되어

함께한 시간 모두 예쁜 추억이 되었네.

찬 바람 불어오던 이른 봄날에,

꽃들이 피어나는 곳에,

내 숨결을 불어 넣어 봄의 내음을 만들어 내어본다.

여름의 바다는 푸르스름한 파도가 치고

여름의 강물은 시원한 물소리가 들리고

여름의 태양은 뜨거운 햇살이 비친다.

여름의 태양이 비추는 바닷가에 맑은 파도가 부서져

은빛 모래 위에 춤을 추며 여유로움과 행복을 안겨주는 여름이다.

여름의 바다에서 피어오르는 바람과 함께하고 싶다.

가을바람 불어오면 단풍은 빛나고
산은 붉게 물들어 가슴 가득한 사랑이 더 깊어진다.
단풍이 빛나는 골목길에서
나는 늘 너를 기다려,
미소 짓는 그 순간까지, 가을이 올 때까지.
단풍이 물들인 곳에서 하는 산책엔
미소가 저절로 짓게 되는 이 풍경,
저녁 햇살에 울려 퍼지는 애절한 향기가 가득하구나.

겨울 내리는 밤,
시린 바람 속에 창밖으로 하얀 눈이 내리고,
겨울의 찬 바람이 머리카락에 조금씩 꼬이며,
차가운 공기가 콧속을 스치고,
찬란한 겨울 별들이 하늘을 가득 메우며,
아름다운 빛을 뿌리고.
겨울이 오면 마음도 함께 얼어버리는 것 같아요.
만약 내가 겨울이 되어 하얀 눈이 내리는 거리에 서 있다면
향기로운 겨울의 내음이 나를 감싸겠지요?

나는 누구일까요

항상 나를 바라보고 있고
내가 웃으면 따라 웃고
내가 눈물을 흘리면 똑같이 흘리고
나랑 똑같이 생겨서
마치 쌍둥이 같은 우리

손을 머리 위로 들어 올리면
또 똑같이 따라 하는 너

나는 누구일까요 2

나를 졸졸 따라다니며
나의 일부가 되어주는 너
자연스레 날 따라와 주기도 하고
내가 만들어 낼 수도 있는 너
또 거기에 잠깐 머물러도 있는 너

내가 아니어도,
다른 사람에게도,
모두에게도
있는 너

제2장 내가 필요한 사람인가,

Last Carnival

어두컴컴한 집 안에서 덩그러니
펑펑 울며 울음을 토해내는 나
아무도 날 다독여주지도, 봐주지도 않아서,
이렇게 우는 모습을 알아주는 사람도 없다는 게 더 서러워
몸을 더 웅크리고 우는 나.

나에게 왜 이런 시련이 왔나.
울음을 멈추려 숨도 참아보고
애써 안 슬픈 척도 해 보아도 그게 잘 안돼.

친구도 없는 나에게 왜 그러나요.
친구가 수북하게 있는 친구에게
시련은 한번 주지 않고 왜 나한테 전부 쏟으십니까.

제발 저 좀 구해주세요.

전 친구도 없고 더 이상 잃을 것도 없는데,
눈꼽 만큼 있던 그 희망마저도 왜 앗아가시는 겁니까.

구원자

눈감고 침대 위에 누워 아무것도 하기 싫은 나를
일으켜 세워서 밖으로 끌고 나온 너는
나를 3년 동안 외사랑 하던 남자애였지
내가 모든 것을 하기도, 보기도 싫었지만
그 속에서 구원해준 남자애,
그 남자애는 나의 구원자였어,

무턱대고 학교 앞을 돌아다니거나, 오솔길 산책,
그냥 어디를 돌아다니던, 뭘 하던 항상
내 옆에 있어 준 너, 구원자.

그때마다 내가 해줄 수 있는 건
정작 고맙다는 말.

매일, 매시간, 매분 마다 고마워.
나의 구원자여
이제는 내가 널 구원 해줄게

유령과 함께 춤을

처음으로 초청된 자리에 나가
처음으로 남자 손을 잡고 춤을 추었다.

누가 들어도 신날 그런 클래식을 틀고 손을 마주 잡고는
왼쪽으로 한 발짝, 오른쪽으로 한 발짝 움직이며
내 몸을 그 남자와 음악에 맡겼다.

어느새 시간은 흘러 노래는 끝났고
술에도 취해 비몽사몽한 나를 남자가 업었다.
업힌 채로 남자와 함께 춤을 췄던 그때,
그 순간은 마치 하늘로 붕 드는 듯했다.

그 순간을 절대 잊지 못할 것 같다,
사실 난 유령과 춤울 추었기 때문에.

still with you, share with you

비 오는 날은 지독하게도 싫다. 이 습한 느낌과 축축한 비가 너무 싫었다. 하지만 나도 예외는 있었다.

가끔 소나기처럼 내리는 그런 비가 난 좋았다. 괜히스레 그런 비를 맞아보고 냄새도 맡아본다. 흙이 젖는 그런 냄새와 하늘에서 누군가 억울한 울음을 우는 듯 오는 비. 난 그런 분위기를 아주 좋아했다.

나는 습하고 축축한 비보단, 누군가 우는 그런 울음 비를 아주 좋아했고, 그런 분위기 또한 즐겼다. 가끔 그런 비를 보고 있을 때면 같은 반이었던 남자애가 옆에 와선 말을 걸었다.

"여기서 뭐해, 비 오잖아 들어가" 그런 말에 난 항상 "난 이런 비가 좋아, 난 그냥 있을게 들어가 먼저." 평소대로라면 들어가던 남자애가 또 말을 덧붙였다. "너 들어갈 때까지 여기 있을래" 순간 내가 잘못들은 듯 싶었지만 자신이 말한 말에 또 말을 더했다.

"나 너 좋아해"라고. 우중충한 내 마음 속의 날씨에 한 줄기의

햇빛이 비치는 듯 나에게 훅 들어왔다. 나는 무작정 비 오는 그 모습을 보다가 냅다 손을 잡고 뛰었다. 같이 비를 맞으며 온갖 감정을 나누었다. 그 순간 내 마음엔 확신이 생겼다, 이 남자애를 놓치지 않기로.

어둠

어둠이 무겁게 눌려와도, 별빛은 여전히 하늘을 밝힌다.
어둠이 무서워 보여도, 우리는 희망을 안고 갈 길을 찾아간다.

어둠은 그림자를 만들지만, 그림자 뒤엔 빛이 있다는 걸 안다.
우리는 어둠을 헤치고, 새로운 시작을 찾아간다.

어둠 속에서 우리의 마음은, 성장하고 더 크게 빛날 것이다.
어둠의 끝에 늘 희망이 있으며, 우리는 어둠을 이기고 갈 것이다.

어둠은 언제나 잠시일 것이고, 새로운 아침이 찾아올 것이다.
빛의 소중함을 깨닫고, 우리는 어둠을 이긴다.

어둠에 맞서 우리는, 강한 마음으로 향해 나아갑니다.
끝없는 밝은 미래를 꿈꾸며, 어둠을 뚫고 가는 길을 찾아간다.

친구

친구란 소중한 보물, 함께 웃고 함께 울며,
서로의 마음을 알아가는 곳.

친구란 믿음과 지지, 어떤 어려움이 오든,
함께 강해져 나아가는 힘.

친구란 즐거움과 기쁨, 함께하는 모든 순간이,
추억으로 남는 아름다움.

친구란 솔직한 대화, 마음을 열고 이야기하며,
서로의 고민을 나누는 곳.

친구란 영원한 동반자, 시간이 흐르고 세월이 가도,
마음은 항상 가까운 곳.

외사랑

외사랑의 감정, 어쩌면 운명,
마주치게 된 두 마음의 만남.
그 시작은 미소와 대화로,
외사랑은 모든 것을 뒤흔들어 놓고.

외사랑은 예측 불가능한 모험,
우리의 인생에 새로운 이야기를 엮어본다.
그 감정은 가끔 아픈 상처를 남기지만,
외사랑은 나를 더 강하게 만들어 낸다.

외사랑은 마음의 탐험,
우리는 끊임없이 학습하며 성장한다.

그 모든 순간은 소중하지만
나의 마음 속의 빛이 될 수도, 어둠이 될 수도 있다.

우리 엄마

사랑해, 고마워, 미안해
가지각색의 감정 표현을 나누는 사람

희생하며 온몸이 부서질 듯
이리저리 뛰어다니며
돈 벌고 내 뒷바라지를 해주는 사람

너무너무 밉고
너무너무 짜증 나지만
너무너무 사랑하는 사람

이 사람은 나의 달보드레, 우리 엄마입니다.

우리 아빠

험한 곳, 더러운 곳 거리낌 없이
오직 돈 벌기 위해
오직 아들, 딸 먹고 싶은 거 먹여주기 위해
신발 밑창이 닳고 곧이어 떨어져 나가도
몸이 부서질 듯 나가도
멀쩡한 척 웃어주고, 웃겨주는 사람

너무 엄해서 무섭고
너무 무뚝뚝해서 말 걸기 어렵고
너무 힘들어 보이는 사람

험한 말, 모진 말 들어도
멀어지지도, 가까워지지도 않고
그 자리에 그대로 있어 주는 사람

이 사람은 나의 영웅, 우리 아빠입니다.

무한한 애정의 전달

생명의 출발과 안정, 이분들의 사랑은 이 세상의 보석입니다.
우리는 그 사랑을 받고 자랐고,
그 사랑을 다시 되돌려 드리고자 합니다.

우리는 어릴 때, 그들의 품에서 안전함을 느꼈습니다.
그 품에 담긴 사랑이 우리를 키웠고,
우리는 더 강해져서 나아갑니다.

이분들의 희생과 헌신,
우리에게 가르쳐주신 소중한 가치입니다.
그 가치를 가슴 깊이 간직하며,
우리는 삶의 여정을 이어갑니다.

우리의 마음속에 담긴 감사,
언제나 이분들을 생각하며 함께합니다.

우리는 부모님의 빛나는 사랑을 기억하며,
그 사랑을 세상에 빛나게 하려고 노력합니다.

부모님, 우리에게 주신 선물,
그 선물을 가슴 깊이 간직하고 소중히 지키겠습니다.
우리는 당신들의 사랑과 지도를 기억하며,
존경과 감사의 마음으로 삶을 살아가겠습니다.

빛나는 스승의 길

지혜와 지침을 나누어 주신 분,
우리에게 빛나는 길을 비춰주신 분.

학문의 나무 그늘 아래에서
우리는 배움에 열매를 맛보았습니다.

그 인내와 이해, 따뜻한 마음.
스승의 가르침에 우리는 감사합니다.
우리는 그 사랑을 기억하며
자신의 길을 찾아서 나아갑니다

또한 그 어려움과 도전,
우리에게 인내와 용기를 가르쳐주셨습니다.

스승의 지혜가 우리를 이끄는 길,
우리는 그 길을 따라갑니다.

스승, 무한한 감사를 전합니다.
스승의 가르침은 우리에게 길을 열어주었고,
우리는 그 길을 따라 나아가며,
스승의 가르침을 존경하며 삶을 살아갑니다.

나는 봄이 제일 좋아

봄이 시작됨을 알리는 신호 같은 꽃
벚꽃 나무가 활짝, 풍성하게 피어났다.

봄의 시작이 지금 인가보다 하고 느낄 수 있는 날이 되었다,
생각보다 봄이 일찍 왔다.

어떡하지, 봄이 사라져 버리면? 난 봄이 너무 좋은데..

그 전엔 봄이 그냥 그저 지나가는 계절 같았는데 지금 보니 나에게 너무 소중한 계절, 사랑하는 계절이 되어버렸어. 봄은 모든 생명들이 새로 태어나거나, 다시 태어나는 계절이라고 한다. 봄을 14번이나 겪어 보지만 올해같이 이렇게 새로운 느낌이 나는 건 처음이다

봄을 어떤 것에 비유를 해보라고 한다면, 나는 새로고침에 비유하고 싶다. 그 이유는 봄은 새로운 해 뒤에 다시 돌아오는 그 해의 첫 번째 계절이기도 하고, 마치 내가 새해의 봄을 맞이하면 성격도 바뀌고 외모도 많이 바뀌어 있기도 하니 새로고침에 비유하고 싶은 것 같다.

봄
내가 가장 좋아하는 계절, 내가 가장 사랑하는 계절.
누구나 경험하는 계절, 누구나 좋아 해본 계절.

제안은 무작정 받아들이지 말기

나는 초등학교 5학년 끝 무렵에 오케스트라에 들어갔다. 들어간 이유는 다름 아닌 방송부 때문이었다. 방송부에서는 각 방과후를 소개하고 홍보를 하는 콘텐츠를 하고 있었는데, 이번 촬영이 오케스트라였고, 촬영 담당이 따로 있었지만 내가 촬영 담당을 기어코 하겠다고 나서서 촬영을 갔다.

다 같이 합주실에 앉아서 악기를 연주하는 모습이 너무 재밌어 보이고 너무 멋졌다. 처음 보는 광경이었다. 그 모습을 보고는 너무 나도 오케스트라를 하고 싶었다. 당장 다음날에 오케스트라 담당 선생님께 가서 단원 신청을 했다. 5학년 끝나기 한 달 전쯤이라 신청이 가능할까 조마조마했지만, 그 후 나에게 전달된 결과는 "내일 아침에 나와서 같이 악기 뭐할지 정해보자" 였다.

그 소리를 듣고는 심장이 쿵쾅쿵쾅 뛰고 기분이 하늘로 날아갈 것 같은 기분이었다. 그다음 날에 오케스트라 교실에 들어가니 담당 선생님이 날 보시고는 나에게 제안을 하나 하셨다. "키가 크니 넌 콘트라베이스를 해 보는 게 어때?"라고. 난 뭐든 오케스트라이면 좋을 테니 제안을 수락했다. 그 이후 난 콘트라베이스를 담당하게 되었다.

하지만 난 지금 후회를 조금 한다. 내가 하고 싶은 것은 따로 있었는데 선생님의 제안 때문에 어쩔 수 없이 다른 악기를 택해버린 것이 너무 후회된다. 뭐든지 내가 하고 싶은 것을 해 봐야 하나 보다. 누가 제안하는 것을 무작정 받아들이기만 하니 너무 힘든 것 같다. 누가 제안하는 것에 무작정 받아들이지 말고 조금은 내가 편한 쪽으로 고민도 해 보고 결정하는 게 좋을 것 같다.

뭐든지 꼭 고민해 보고 결정하기!

순간을 간직한 시간

달빛은 잠든 밤을 밝히며,
별들은 하늘에 춤을 추며,
시간은 조용히 흘러가고,
나는 이 순간을 간직하네.

마음 속에 담긴 이 순간,
소중한 것들을 되새기며,
평화로운 밤을 보내고,
내일을 기대하며 살아가리라.

노을이 물들인 시간의 풍경

황금빛 노을이 서늘한 땅을 비추며,
하늘에는 저녁 별들이 수놓인다.
바람은 부드럽게 불어와 마음을 식히고,
언덕 위에는 자장가를 부르는 나그네의 노래가 흐른다.

저 멀리서 들려오는 강물 소리는
시간의 흐름을 기억하게 한다.
산들의 그림자가 점점 길어지면서
하루의 끝을 알리고 있는 것 같다.

여기 이 자리에서 나는 세월을 느끼며,
시간은 흘러가지만 순간은 영원히 기억될 것이다.

별빛의 소망과 꿈

빛나는 어둠이 펼쳐진 밤하늘,
별들은 수억 개의 이야기를 품고 있다.
하나둘 빛나는 작은 불빛들은
우리의 소망과 꿈을 안내한다.

어둠은 때로 두려움을 안겨주지만,
별들은 우리에게 희망을 전해준다.
우리의 발걸음은 세상의 이야기를 만들고,
우리의 마음속에 빛을 비춰준다.

밤은 잠시의 휴식이지만,
우리의 마음속에는 계속되는 여정이 있다.
별들의 빛과 함께하는 이 시간,
우리의 꿈을 따라 빛을 따라가리라.

제3장 아픔은 항상 시작과 끝에 존재해

/

언어의 마법, 말과 이야기의 힘

언어는 우리가 소통하고 생각하는 데 핵심적인 역할을 한다. 그것은 마치 마법 같은 힘을 지니고 있다. 우리의 말이나 이야기들은 때로 마음을 움직이고, 세계를 변화시키며, 우리 주변의 현실을 만들어 낸다고 한다.

말은 단순한 소리가 아니라, 의미를 담고 감정을 전달하는 매체다. 언어는 우리가 사회적으로 연결되고, 문화를 형성하는 데 중추적인 도구로 작용한다. 언어의 다양성은 우리가 서로를 이해하고 다른 시각을 이해할 수 있게 해준다. 이것은 우리의 경험을 풍부하게 만들어주며, 세계를 다양한 색채로 물들인다.

뿐만 아니라, 이야기들은 우리 삶에 깊은 영감을 주곤 한다. 우리는 예로부터 전해져 내려온 이야기들을 통해 지혜를 얻고, 우리 자신의 이야기를 통해 다른 이들과 공유하며 성장한다. 각자의 이야기는 우리의 무언가와 연결되어 있으며, 우리가 어떤 사람으로 성장하는지에 영향을 미친다.

언어와 이야기의 힘은 우리에게 무한한 가능성을 보여준다. 우리는 말과 이야기를 통해 사람들과 연결되고, 세계를 바꾸며, 새로운 길을 개척할 수 있다. 그래서 우리는 언어의 마법과 이야기의 힘을 경험하며, 그것을 통해 더 나은 세상을 만들어 나갈 수 있는 것이다.

/

우리는 아픔을 향한다

아픔은 우리의 삶에서 피할 수 없는 일이다. 때로는 예상치 못한 충격으로 우리를 습격하고, 때로는 천천히 스며들어 우리의 마음을 침식한다. 아픔은 우리의 존재에 스며들어 우리를 시험하고, 때로는 우리를 성장하게 만든다.

그러나 아픔은 언제나 단순한 고통만이 아니다. 그것은 우리의 내면에서 깊은 질문을 불러일으키며, 우리가 세상과 자신을 새롭게 바라보게 한다. 아픔은 우리를 가르치며, 우리가 무엇을 중요시하고 무엇을 소중히 여기는 지에 대해 깨우친다.

아픔의 여정은 종종 우리를 고립시키기도 하지만, 그 고통 속에서 우리는 우리 주변의 지원과 용기를 발견한다. 다른 이들의 이야기와 공감은 우리의 상처를 치유하는 과정에서 위안이 되고, 더 나아가 우리는 공감과 이해를 바탕으로 서로에게 연결된다.

아픔은 우리의 삶에서 영원히 사라질 수는 없지만, 그것은 우리가 극복하고 성장하는 데 사용할 수 있는 도구이기도 하다. 아픔은 우리를 강인하게 만들고, 우리의 내면을 더 깊이 이해하게 하며, 우리가 더욱 감사하고 자비로운 존재로 성장할 수 있도록 이끌어 준다. 아픔은 우리가 지나가는 여정의 일부이며, 그것은 우리가 더 나은 방향으로 나아갈 수 있게 하는 유용한 안내자이기도 하다.

/

우리는 인간관계를 매듭짓고, 서로를 발견한다.

인간관계는 우리 삶에서 무척이나 중요한 부분을 차지한다. 우리는 서로 연결되어 살아가며, 다른 사람들과 함께 하면서 우리 자신을 발견하고 성장한다. 그것은 때로는 영광스럽고 환상적이지만, 때로는 복잡하고 어려운 과정이기도 하다.

우리는 서로 다른 배경과 가치관을 가진 다양한 사람들과 만나게 된다. 이러한 다양성은 우리에게 시야를 넓혀주고 새로운 관점을 제공한다. 하지만 때로는 이러한 다양성으로 인해 갈등이 발생하기도 한다. 각자가 다른 경험과 생각을 가지고 있기 때문에 의사소통의 부재 또는 오해로 인해 갈등이 발생할 수 있다.

인간관계를 유지하고 발전시키기 위해서는 상호간의 이해와 존중이 필요하다. 우리는 서로의 차이를 인정하고 존중함으로써 조화롭고 건강한 관계를 유지할 수 있다. 또한 소통은 인간관계에서 핵심 요소이다. 우리의 감정과 생각을 솔직하게 전달하고, 이해하고자 노력함으로써 서로의 마음을 더 가깝게 만들 수 있다.

또한, 우리는 인간관계를 통해 자기 발견의 여정을 걸어간다. 다른 사람들과의 상호작용을 통해 우리는 자신의 강점과 약점을 발견하고, 자아를 형성해나간다. 서로 다른 사람들과의 인연을 통해 우리는 더 나은 사람으로 성장하게 되며, 그들의 영향으로 우리는 성장하고 발전한다.

마지막으로, 인간관계는 우리 삶에 큰 영향을 미치는데, 가족, 친구, 동료, 그리고 사랑하는 이들과의 관계를 통해 우리는 사랑과 지지를 받고, 또한 우리 자신이 누구인지를 알아간다. 우리는 서로에게서 힘을 얻고, 우리의 삶에 의미를 부여하는데, 그것은 우리가 더 풍요로운 삶을 살아갈 수 있게 해준다. 인간관계는 우리의 삶의 보물이자 풍요로움의 근원이다.

/

당신은 어떤 모습이 되고 싶은가?

우리는 자주 묻는다. '무엇이 되고 싶은가?' 또는 '어떤 모습으로 기억되길 원하는가?' 늘 머릿속에 그려진 이상적인 모습, 완벽한 자신의 이미지를 그려내며 그것을 향해 달려간다.

그렇지만, 나 자신을 파헤치고 바라보는 순간, 더 깊은 질문이 떠오른다. '어떤 사람이 되고 싶은가?' 바로 그 순간에 나타나는 것은 어떤 행동이나 외형이 아니라, 마음의 풍경이다.

나는 마음 속에 따뜻한 공간을 갖추고 싶다. 그곳에는 이해와 넓은 배려가 함께하며, 다른 이의 삶에 공감하고 더 나은 방향을 찾고자 하는 열망이 존재한다. 나는 자신의 이야기를 듣고, 함께 울고 웃으며, 서로의 지원자가 되고 싶다.

또한, 나는 자신을 돌아보고 배우며 성장하는 사람이 되고 싶다. 실패와 결점을 부정하지 않고, 오히려 그것을 인정하고 더 나은 방향으로 나아가기 위한 학습의 기회로 삼고 싶다. 내 안의 잠재력을 깨우치며, 지속적인 성장을 추구하고자 한다.

무엇보다도, 나는 주변 사람들에게 영감을 주는 사람이 되고 싶다. 성취보다는 공헌을 중시하며, 내가 가진 지식과 경험을 나누고, 다른 이들의 삶에 긍정적인 변화를 가져다 줄 수 있는 사람이 되고자 한다. 함께 걷는 길에 밝은 빛이 되어 그들의 마음에 희망과 용기를 심어주고 싶다.

나는 무엇이 되고 싶은가? 모습이 아닌, 마음의 풍경으로 답을 찾고자 한다. 나의 존재가 흔적을 남기는 것이 아니라, 마음속에 간직된 따뜻함과 이해로운 존재가 되기를 바란다. 이상적인 모습이 아닌, 참된 인간으로서의 내 자신을 되찾고 싶다. 그리고 그것이 나에게 영원한 만족을 주고, 주변에 빛을 비춰줄 것이라 믿는다.

/

좋아하지 않는 사람을 이해하고 바라보는 법

우리는 종종 다른 사람들과 서로 다른 의견, 가치관 또는 행동으로 인해 불편함을 느낄 때가 있다. 우리는 때로는 누군가를 좋아하지 않을 수 있다. 이는 그 사람과의 상호작용, 그들의 선택, 그리고 우리 자신의 개인적인 경험으로부터 비롯될 수 있다. 그러나 우리가 그들을 이해하고 존중하는 데에 집중한다면, 그것이 우리 자신에게도 새로운 시각을 제공할 수 있다.

우리가 좋아하지 않는 사람을 이해하는 첫 번째 단계는 그들의 관점과 배경을 이해하려는 노력이다. 우리는 서로 다른 배경과 경험을 가지고 있으며, 이로 인해 우리의 가치관과 행동이 형성된다. 그들이 어떤 상황에서 그런 선택을 하는지, 그들이 왜 그런 관점을 가지고 있는지에 대해 생각해 보는 것이 중요하다.

그 다음으로, 우리는 그들의 긍정적인 면에 집중할 수 있다. 모든 사람은 좋은 면을 가지고 있다. 우리는 그들이 어떤 강점을 가지고 있는지, 우리에게 어떤 도움을 줄 수 있는지를 찾아볼 수 있다. 그렇게 하면 우리는 그들을 조금 더 긍정적으로 보게 되고, 그것이 우리 간의 관계를 더 향상시키는 데 도움이 될 것이다.

또한, 상대방을 존중하고 이해하는 자세가 중요하다. 우리는 모든 사람을 존중하고 그들의 선택을 존중해야 한다. 이러한 자세는 상대방과의 대화를 원활하게 만들고, 서로에 대한 이해와 신뢰를 높일 수 있습니다. 하지만 그 상황에선 상대방의 개인 선택이나 행동을 무시해선 안된다.

마지막으로, 개인적인 편견과 감정을 넘어서려는 노력이 필요하다. 때로는 우리 자신의 편견이나 이전의 경험이 우리의 판단을 흐리게 할 수 있다. 이러한 부분을 인정하고, 그것을 넘어서려는 노력이 중요하다. 우리 자신의 감정을 이해하고 받아들이되, 그것이 상대방과의 관계를 방해하지 않도록 노력해야 한다.

좋아하지 않는 사람을 이해하고 존중하는 것은 쉬운 일이 아닐 수 있다. 하지만 그것은 우리 자신과 상대방, 심지어는 주변의 환경에도 긍정적인 변화를 가져다 줄 수 있다는 것을 잊지 말아야 한다. 함께 사는 이들과의 이해와 포용은 서로를 이해하고 성장하는 데 큰 역할을 할 것이다.

/

친구관계를 유지하는 나만의 방법

나의 삶에서 친구는 소중한 존재입니다. 친구들은 서로를 이해하고 지지해주며, 함께 웃고 울고 서로를 위로해 주는 소중한 동반자이다. 그러나 나에게는 친구 관계를 유지하고 발전시키는 것은 때로 어려운 과제이다. 나는 나만의 방식으로 친구 관계를 유지하는 비밀을 발견했고, 이를 통해 친구들과의 연결을 강화하고 지속시키고자 한다.

첫째로, 소중한 사람들을 기억하고 존중하는 것이 중요하다.

바쁜 일상 속에서도, 나는 친구들의 중요한 순간들을 기억하려고 노력한다. 생일이나 특별한 기념일에 축하 메시지를 보내거나, 소소

한 일상 이야기를 나누는 것으로도 서로 간의 연결을 유지할 수 있다. 또한, 서로의 의견을 존중하고 이해하는 자세를 갖는 것이 중요하다. 우리는 서로의 차이를 존중하고 받아들이면서, 서로를 이해하고 지지해 주는 것이 친구 관계의 기반이 될 수 있다고 믿는다.

둘째로, 소통과 솔직함을 강조한다.

친구 관계에서 소중한 것은 솔직함이다. 서로를 솔직하게 이해하고 소통하는 것은 불필요한 오해나 갈등을 예방하는 데 도움이 된다.

나는 친구와의 소통을 꾸준히 유지하며, 불편한 문제가 생겼을 때도 곧장 대화하려는 노력을 한다. 그리고 서로에 대한 솔직한 피드백을 주고받으면서 서로의 발전을 돕고자 한다.

셋째로, 시간과 관심을 함께 나누는 것이 중요하다.

친구들과 함께 보내는 시간은 서로에 대한 이해를 높이는 좋은 방법이다. 서로의 관심사와 취향을 존중하고, 함께 즐길 수 있는 활동이나 이벤트를 찾아낼 수 있다. 함께하는 시간을 소중히 여기며, 서로를 위한 지지와 공감을 나누는 것이 친구 관계를 유지하는 데 도움이 된다.

나만의 방식으로 친구 관계를 유지하는 것은 서로에 대한 관심과 존중, 솔직함과 소통을 강조하는 것이라고 생각한다.

친구들과의 소중한 연결을 유지하면서, 서로의 삶에 대한 관심과 배려를 보여주며, 함께 보낸 시간을 소중히 여기는 것이 중요하다. 이러한 노력을 통해, 나는 친구들과의 관계를 보다 강하고 의미 있게 만들고자 한다.

너의 편이 되어 줄게

너의 편이 되어 줄게

세상이 어두워 보일 때도 내가 네 곁에 서 있을게
비가 내리고 바람이 부는 날도 너의 편이 되어 줄게
어김없이 찾아오는 어려움이라도 네가 힘들고 지칠 때라도
내가 네 옆에 있어줄게 너의 곁에 머물러 줄게
희미한 빛이 비치는 길에서도 서로를 믿고 함께 걸어가자
그 어떤 어려움도 이겨낼 우리 너의 편이 되어 줄게

마음이 아플 때도, 슬플 때도
내가 네 곁에서 기다릴게
너의 어깨에 기대어도 좋아.

네가 손을 뻗을 때, 내가 너를 붙잡아 줄게
함께 두 손을 맞잡고 같이 걸어가자고 약속할게

세상이 어두워도 너의 편이 되어줄게
나의 손을 잡아줘, 네 곁에 있어 줄게

겨울의 고요한 순간

서늘한 바람이 춥게 불어와도,
하얀 눈이 내리는 이 순간에,
세상은 고요하고 조용했다.

얼어붙은 숲 속, 차가운 밤에,
별빛이 빛나고 어둠이 깊어,
겨울은 고요한 순간을 안겨줬다.

얼음 같은 추억

춥고 얼어붙는 이 겨울,
추억들도 얼어붙은 듯하다.

얼음처럼 차가운 기억들이
내 마음을 얼게 만든다.

그런데, 무언가가 날 미치게 하고,
또, 얼어붙은 추억 속에서 빛난다.

/

당신의 축복이란 무엇인가?

우리는 종종 '축복'에 대해 생각합니다. 그러나 이 단어에는 다양한 의미와 가치가 담겨 있습니다. 누군가에게 축복을 전한다는 것은 그들에게 행운과 행복을 빌어주는 것뿐만 아니라, 그들의 삶에 의미와 기쁨을 더해주는 것입니다. 하지만, '당신의 축복이란 무엇인가?'라는 질문은 많은 고민과 성찰을 요구합니다.

축복은 당신의 마음과 관련이 깊습니다.

당신이 다른 사람들에게 빌어주는 축복은 당신의 내면적인 성향과 생각을 반영합니다. 축복은 종종 그들에게 행운과 성공, 건강과 행복, 그리고 내면의 평화와 안정을 빌어주는 것입니다. 하지만 더 중요한 것은 당신이 그들에게 전하는 진심어린 축복의 의미입니다.

축복은 자신의 성실함과 다른 사람에 대한 배려와 연결되어 있습니다.

다른 사람을 생각하고 그들의 삶에 긍정적인 영향을 주려는 마음에서 출발합니다. 당신의 축복은 그들이 더 나은 삶을 살도록 격려하고, 그들의 어려움을 함께 이겨낼 수 있도록 응원하는 것일지도 모릅니다.

당신의 축복은 솔직하고 진심 어린 마음에서 나옵니다.

당신의 성실함과 진정성이 담긴 축복은 그들에게 큰 힘이 될 것입니다. 또한, 축복은 종종 당신의 내면에서 비롯되며, 자신의 성장과 행복을 빌어주는 것이기도 합니다.

결국, '당신의 축복이란 무엇인가?'는 당신의 성향과 마음가짐, 그리고 당신이 주변 사람들에게 전하는 따뜻한 마음과 응원에 달려 있습니다. 축복은 단순한 말이 아니라, 진심어린 마음에서 나오는 소중한 선물이며, 그것이 주는 힘이 큰 변화를 가져올 수 있습니다.

프롤로그

프롤로그

누구나 어떤 새로운 경험이나 고난에 빠지게 되면 뒷걸음 치기 마련이죠. 만약 내가 뒷걸음을 쳤다고 나 자신한테 실망하거나 좌절하지는 않아야 합니다. 누구나 경험 없는 일이나 고난에 빠지면 그것을 해쳐나가기 힘들기 때문이죠. 그럴 땐 주위 사람들에게 도움을 요청하는 경우가 되게 많은데요. 주위 사람들의 반응은 무심하게도 도와주지 못하겠다는 답변이 많을 수도 있습니다. 절대로 실망하거나 좌절하지 마세요. 각자 사정도 있고 도와주기 싫은 성격이 있을 수도 있는 겁니다. 그냥 혼자 헤쳐 나가보면 돼요. 뭐 어때요. 어차피 내 인생 내가 사는 건데요. 저는 이런 상황에 빠졌을 때 주위 사람들의 도움보다는 저 혼자 어떻게 이 상황을 벗어날까, 극복해야 할까, 고민에 빠져요. 인터넷에 검색도 해 보고 혼자만의 시간을 가져요. 제일 중요한 것은, 친구 없이는 못 살겠다는 말 절대 하지 마세요. 친구는 일평생 없었다고 생각하며 혼자만의 시간, 취미 만들기, 고민 해결 방법을 생각하기를 실천해 보세요. 그렇게 해 본다면 언제든지 이런 상황을 빠져나갈 해결 방법을 주변 도움 없이도 금방 하실 수 있을 거라고 생각이 듭니다.

.

.

.

.

.

.

.

.

.

.

.

.

.

.

.

.

.

.

.

.

.

다음 장, 작가의 말

작가의 말

작가의 말

안녕하세요 저는 중학생 신입작가 선다온이라고 합니다.

저는 어렸을 때부터 책을 그렇게 좋아하지는 않았지만, 책 출간을 꿈꾸던 사람이었어요. 그러다 책읽기에 빠졌고, 그 장르중에서도 시와 에세이를 정말 좋아하게 되었고, 시에도 에세이에도 관심이 많아져서 글을 끄적끄적 쓰니 이렇게 책 출간도 하게 되었어요. '처음에는 어떻게 시작해야 할까?' 고민도 많이 되고 이리저리 치이다가 친구들의 지지와 가족들의 지지 덕분에 자리에 몇 시간 내내 앉아서 글을 썼다 지웠다 여러 번을 반복했어요. 책 출간 준비도 엄청 오래 걸렸어요. 거의 새 학기 때 시작한 출간 준비가 연말까지 이어져 버렸으니까요. 그래도 공을 많이 든 책이라 정도 더 잘 갈 것 같고 제 하나의 의미 있고 가치 있는 경험이 될 듯 싶어서 열심히 준비했습니다. 하하. 쪽수가 너무 적나 싶지만 엄청 노력한 책이라는 것을 알아주셨으면 좋겠습니다.

또, 책에 담긴 모든 글들은 다 제가 겪은 일들과 경험이 담긴 글들입니다. 조금 서툰 글이더라도 잘 읽어주셨으면 좋겠습니다.

제 책이 독자분들에게 정말 와닿는 책이 되었으면 좋겠습니다.

당신의 옆엔 행운만 가득하길 빕니다. Good Luck!

.

.

.

.

.

.

.

내가 당신의 손을 잡아 줄게요.

insta. @on.1y_you

mail. somanywarming9237@naver.com